MDS : 660220
ISBN : 978-2-215-08330-6
© Groupe FLEURUS, 2005
Dépôt légal à la date de parution.
Conforme à la loi n° 49-956 du 16 juillet 1949
sur les publications destinées à la jeunesse.
Imprimé en Italie (12-12)

Une Mamie

ça sert à quoi ?

Texte :
Sophie Bellier
Images :
Ginette Hoffmann

FLEURUS

FLEURUS ÉDITIONS, 15-27, rue Moussorgski, 75018 PARIS
www.fleuruseditions.com

Picotin a une drôle de mamie.
Toute la journée, elle chante, rit
et gesticule dans tous les sens.

Avec elle, jamais il ne s'ennuie.
Mais parfois il voudrait se faire tout petit.
Il faut dire que la mamie de Picotin
ne fait rien comme les autres mamies.
« Ce n'est pas une vraie mamie »,
pense tristement Picotin.

À la sortie de l'école,
la mamie de Cochonnet
l'attend avec une brioche
et des bonbons plein les poches.
« Ça, c'est une vraie mamie »,
se dit Picotin.

Dans le parc, la mamie de Souriceau
s'assoit sur un banc.

Elle le regarde jouer en tricotant
des écharpes et des gants.
« Ça, c'est une vraie mamie »,
se dit Picotin.

Pour le dîner, la mamie de Pilou
prépare des soupes, des purées
de légumes et des gâteaux au chocolat.
« Ça, c'est une vraie mamie »,
se dit Picotin.

Le soir, avant de se coucher,
la mamie de Lapino
s'assoit au bord du lit
et lui raconte des histoires
de princesses et de fées.

« Ça, c'est une vraie mamie »,
se dit Picotin.

Les amis de Picotin
ne sont pas du même avis.
Ils trouvent la mamie de Picotin formidable.
- À la sortie de l'école, Mamie Poule
arrive à bicyclette

en pédalant à toute vitesse,
dit en riant Cochonnet.
– Ma mamie, c'est
une sportive ! explique
fièrement Picotin.

- Au parc, Mamie Poule nous rejoint dans le bac à sable pour nous construire des châteaux qui montent jusqu'au ciel, dit en riant Souriceau.

- Ma mamie, c'est une joueuse !
explique fièrement Picotin.

– Pour le dîner, Mamie Poule imagine
chaque fois de nouvelles recettes
qui n'ont ni queue ni tête,
dit en riant Pilou.
– Ma mamie, c'est une inventrice !
explique fièrement Picotin.

– Le soir, Mamie Poule se met
au piano et chante de drôles
de berceuses qui donnent

plus envie de danser que
de dormir, dit en riant Lapino.
– Ma mamie, c'est une artiste !
explique fièrement Picotin.

Picotin est heureux.
Ses amis lui ont appris
à découvrir sa mamie.

- Ma mamie ne fait peut-être
rien comme les autres, mais
c'est plus qu'une vraie mamie,
c'est ma mamie chérie, dit Picotin.
Et maintenant, quand il marche
à ses côtés, il se met sur la pointe
des pieds pour montrer à ses amis
combien il est fier de
l'avoir pour mamie.